寺村輝夫　永井郁子

さあ！ スイーツ作りに
ちょうせんよ。
きっとうまくいくわ。

れいぞうこでつめたーくひやしたら、
お口のなかでひんやりとろけるわ。
はてさて、どんなゆかいなおしゃべりが
とびだすかな？

もくじ

わかったさんの シュークリーム・・・・・4
 シュークリーム・・・・・・・・8
 ポップオーバー・・・・・・・・10
 クロカンブッシュ・・・・・・・12

わかったさんの プリン・・・・・・・16
 カッププリン・・・・・・・・・20
 ボネ・・・・・・・・・・・・・22
 キンジン・・・・・・・・・・・24

わかったさんの アイスクリーム・・・・28
 はちみつアイス・・・・・・・・32
 カッサータ・・・・・・・・・・34
 フェイクアイス・・・・・・・・36

手をよくあらってから、はじめましょう。
ほうちょうや火を使うときは、大人といっしょにやりましょう。

わかったさんの
シュークリーム

草原をぬけ、小さな山をこえた、森の中の家。
わかったさんは、インコのピーコにみちびかれ、
たくましいゾウといっしょに、シュークリームを作ることに…

「さあ、ついたわ。」
と、インコがいったので、見てみると、
そこに家がありました。
わかったさんは、あっと、おどろきました。
なんと、レイおくさんの家なのです。

火は強火(つよび)
わたしの　もえる　ハート
あわが出て　ぷっくり　ぷぷーっ
にえろ　わきたて
あわが　こまかく　くだけるまで

ぼくの　ハートも　強火
血(ち)が　わきたち　おどるよ
きみの　もえる　ハートに
ぴたり　ハーモニー

ふわふわ ふんわり
シュークリームの作り方

❄ シュー皮を 作ります——

1 なべに シュー皮の分の水、バター、さとうを 入れて、強火に かけます。バターが とけて、黄色のあわが こまかくなるまで ふっとうさせてください。

2 なべを 火から おろし、ふるった小麦粉(こむぎこ)を 入れて 木べらで まぜ、もう一度、少し弱めの火に かけて 木べらで ねりあわせます。

3 なめらかになって なべのそこから すんなり ひとかたまりに とれるようになってきたら 火から おろします。

4 すぐに、よく ほぐした たまごを 少しずつ 入れ、入れては 木べらで かきまぜて なじませます。あんがい 力がいります。もちあげてみて、やっとおちるくらいのかたさまで、たまごで のばします。

よういするざいりょう
（プチシュー　30こ分）

シュー皮の ざいりょう
- 水　　　　　　　　125cc
- バター　　　　　　50g
- さとう　　　　　　小さじ1／2
- 小麦粉（はくりき粉）　75g
- たまご　　　　　　2〜2こ半

きせつによって りょうが かわります。

ホイップクリームの ざいりょう
- 生クリーム　　　　200cc
- さとう　　　　　　大さじ2〜3
- バニラエッセンス　2てき

アイシングの ざいりょう
- 粉ざとう　　　　　50g
- 水　　　　　　　　小さじ2

5　直径1cmの まるい口金を
つけた しぼりだしぶくろに
4の シュー皮の
生地を入れて、
テンパンの上に、
2cmくらいのまるに
しぼりだします。
ふくらむので
3cmくらいずつ
あけておきましょう。

＊ふつうの大きさの
シューに やくときは、
4cmくらいのまるに
しぼりだします。

6　オーブンに 入れて、
200度で10分 やき、
180度に 温度を
下げて 10分 やきます。
オーブンのドアは
あけないこと。
シューが ふくらみません。

＊ふつうの
シューのときは
200度で 10分
180度で 15分

❄ クリームを つめます——

7　生クリームに さとう、バニラエッセンスを くわえ、あわだてきで
かきまぜて、あわだてきを もちあげても 下に おちないぐらいにまで
あわだてます。かたくなってきたら、
ゆっくりと あわだてるのが ポイント。

8　シュー皮を よこに2つに切って、
星がたの口金をつけた
しぼりだしぶくろで ホイップクリームを
しぼりだし、上の皮を かぶせます。
シュー皮のそこに、はしで
あなを あけ 口金を
さしこんで クリームを
入れても だいじょうぶ。

❄ かざります——

9　粉ざとうに 水を くわえ、
スプーンから ゆっくりと
おちるくらいに とかします。

＊水の かわりに
レモンじるを
つかっても おいしい。

10　やきあがったシューの皮を、
さかさまにもって 9に つけるか、
はけで ぬって かわかせば できあがり。

ぷっくり ふくらんだ ポップオーバーの作り方

＊たまごと ぎゅうにゅうは
冷蔵庫から 出しておきます。
つめたいものを
つかうと うまく
ふくらみません！

1 小麦粉を ふるって、しおと さとうを まぜあわせます。

2 たまご、ぎゅうにゅう、オリーブオイルを よく まぜあわせ、1に 少しずつ入れて ダマにならないように まぜます。
ラップをかけて、そのまま 30分〜1時間 生地を 休ませます。

よういするざいりょう

（マフィンカップ 6こ分）

- 小麦粉（はくりき粉）　50g
- しお　　　　　　　ひとつまみ
- さとう　　　　　　ひとつまみ
- たまご　　　　　　2こ
- ぎゅうにゅう　　　50ml
- オリーブオイル　小さじ1
  （ほかの油でもOK）

トッピングの ざいりょう

- 生クリーム
- すきなフルーツ など

ひとやすみ…

10

3　オーブンを 210度に あたためます。

4　マフィン型に 油を 少しぬって、2を 入れます。

5　210度の オーブンで 20分間 やき、170度に 温度を 下げて さらに 10分 やきます。やきあがっても、すぐに オーブンを あけては ダメ！せっかくふくらんだおかしが しぼんでしまいます。少しさめてから とりだしましょう。

さらに…

210度で20分　170度で10分

ふくらんだ〜

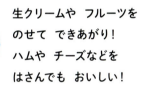

6　生クリームや フルーツを のせて できあがり！ハムや チーズなどを はさんでも おいしい！

おやつでも しょくじでも りょうほう おいしい！

ぷっくり

シュークリームの ツリー
クロカンブッシュ の 作り方

❄ じゅんび

1 画用紙（A4サイズ）を くるくるとまるめ
先のとがったえんすいけいにします。
下が 平らになるように
とがったところを はさみで 切ります。
まわりに アルミフォイルを はり、型を つくります。

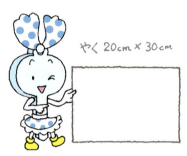
やく 20cm × 30cm

   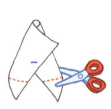 

❄ あめを 作ります

＊とけたさとうは、とても あつくなるので、
　やけどをしないように よく 気をつけて！

よういするざいりょう
- ミニシュークリーム　　　50〜60こ
  （手作りでも、
　お店でかったものでもいいです）
- グラニューとう　　　250g
- 水　　　　　　　　 80g
- しあげ用のチョコレート　すきなだけ

2 かたてなべに グラニューとうと
水を 入れて、弱火で あたためます。
はしなどを 入れて かきまぜないで、
なべを ゆらしながら 火を とおします。
うすいキャラメル色になったら 火から おろします。

＊火からおろしたあとも、
　色が こくなるので、
　こがさないように ちゅうい！

12

❄ しあげます――

3 おさらに 1の 型を おきます。
フォークを つかって
シュークリームのそこに
あめを つけます。
ぜんたいに つけてしまうと、
あとで とりにくいので、
つけすぎないのが
ポイント。

＊つみかさねたあとは
うごかせないので
おさらの上で
作りましょう。

4 あめをつけたシュークリームを
型のまわりにそって おいていき、
山のように つみかさねます。

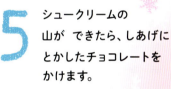

5 シュークリームの
山が できたら、しあげに
とかしたチョコレートを
かけます。

わかったさんの
プリン

わかったさんは、ちびギャングのババロワに、
プリンの作りかたを、おそわってこいといわれて、でかけていく。
ぎゅうにゅうの川、メンドリのむれ、でもざいりょうは手にはいらず…

なににぶつかったのか、すぐにはわかりませんでした。
それは、なんと、ガラスの家(いえ)だったのです。

もう一つのスニーカーから、
さとうを入れて、火にかけると、

　ぎゅうにゅうに　さとうを
　とかす　とかす　とかす……
　ぐらぐら　わかしちゃ　いけないよ

ぷるぷる プリン バニラあじ
カッププリンの作り方

🖌 プリンを 作ります——

1 ボウルに たまごを わって入れ、あわだてきで よく ほぐします。あわだてないで、きみと しろみが よく あわさるように。

2 なべに ぎゅうにゅうを 入れ、さとうを くわえて 少し あたためます。おふろのおゆより ちょっとあたたかいくらいに。グラグラわかしちゃだめ！

3 1の ボウルに 2を 少しずつ くわえながら あわだてきで しずかに かきまぜて、あわせます。いちどに くわえてはだめ！

4 こし器を かけた ボウルに、水でぬらして キュッとしぼった さらしのふきんをかけて、3を 少しずつしずかに、あわを たてないように こします。

5 バニラエッセンスを 3てき おとします。

6 コーヒーカップに 5を 7分めまで そそぎいれます。

よういするざいりょう
（小さなコーヒーカップで 4こ分）

プリンの生地の ざいりょう
- たまご　　　　　3こ
- ぎゅうにゅう　　300cc
- さとう　　　　　30〜50g
- バニラエッセンス　少々（3てき）

カラメルソース用の ざいりょう
- さとう　　　　　100g
- 水　　　　　　　大さじ4＋大さじ2

7 むし器に 水を入れて 火に かけます。シュンシュンいいはじめたら、6の カップを 1つずつ 入れ、ふきん（水で ぬらして しぼったもの）を かぶせて ふたをして、よわ火で 20〜30分 むします。
ゆびで ひょうめんを さわってみて、
ふんわりとした 手ごたえがあれば できあがり。

ゆげは あついので、やけど しないようにね！

オーブンで 作るときは──

オーブンは 入れる 10分前から、160度に セット。
バットに 6の カップを ならべて入れて、
カップが 7分めくらいまで ひたるように、
バットに おゆを そそぎ、
オーブンに 入れて 20〜30分 やきます。

160度

カラメルソースを 作ります── ＊お母さんといっしょにね！

8 小さななべに、さとうと 大さじ4はいの水を 入れて 中火に かけます。
はじめは 大きな あわが ブツブツ、だんだん あわが 小さくなって、少しずつ 茶色くなってきます。

9 なべを かるく ゆすりながら 色をつけ、こげ茶色になったら すぐに なべを 火から おろし 大さじ2はいの水を くわえて のばします。
火から おろしても、色は どんどんこくなるので すぐに 水を 入れられるように、前もって コップにはかって 入れておくと べんり。

＊水を 入れると、ジューと 大きな音がして、ソースが はじけます。なべも ソースも あついので あわててしまうと 大やけど！ おちついて！

10 プリンを つめたくひやして、カラメルソースを とろりと かけて、そのまま スプーンで すくって めしあがれ！
メイプルシロップを かけても おいしい！

21

ビスケット入りの プリン
ボネ の作り方

じゅんび——

1 型に バターを まんべんなくぬり、グラニューとうを まぶしておきます。ビスケットを こなごなに くだいておきます。

生地を 作ります——

2 こなごなにくだいたビスケットと、ぎゅうにゅう、インスタントコーヒーを あわせて あたためておきます。

3 ボウルに、さとう、たまご、ココアパウダーを 入れて、よく まぜます。

4 3に、2を ゆっくりと 入れて まぜます。おこのみで、かおりづけに お酒（ラムや アマレット）を 入れます。

やきます——

5 オーブンを 160度に あたためておきます。ゆせん用の おゆを よういしておきます。

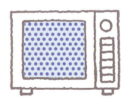

6

4を 型に 入れて、テンパンに
ならべます。テンパンには
おゆを 入れて、
25〜30分
むしやきにします。
まん中が しぼんでこなければ
できあがりです。
冷蔵庫で ひやします。

よういするざいりょう
（プリンカップ 6こ分）

○ビスケット　　　　　　　　30g
　（できればアマレッティ
　　アマレッティは、アーモンドが入った
　　イタリアのビスケットです。）
○ぎゅうにゅう　　　　　　　250ml
○インスタントコーヒー　　大さじ1/2
　（なくてもオーケー）
○さとう（きびざとう）　　　60g
○たまご　　　　　　　　　　2こ
○ココアパウダー　　　　　　15g
○ラムしゅ　　10ml（なくてもオーケー）
○アマレット　　10ml（なくてもオーケー）

型にぬるための　ざいりょう
○バター　　40g
○グラニューとう　大さじ3

キャラメルソース用の　ざいりょう
○グラニューとう　　　　　100g
○水　　　　　　　　　　　100g

かざり用の　ざいりょう
○生クリーム、ミント、ナッツ など
　すきなものを
○あれば オレンジキュラソー 大さじ1

しあげます──

7

グラニューとうを かたてなべに 入れ
中火に かけます。色が ついてきて、
ぜんたいに あわが 出てきたら 水を 入れます。
火から おろして、さめてくると とろみがつきます。

＊はねるから 気をつけましょう！

8

型から 出して おさらにあけ、
あわだてた生クリームや
キャラメルソースで
かざりましょう。

23

みなみのくにの ココナッツプリン
キンジンの作り方

じゅんび——

1 型に バターを まんべんなくぬり、粉ざとうを まぶしておきます。

2 オーブンを 160度に あたためておきます。

3 ゆせん用の おゆを よういしておきます。

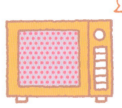

生地を 作ります——

4 たまごのきみに グラニューとうを 入れて、スプーンで かきまぜ なじませます。そこに、ココナッツパウダーを くわえて よく まぜます。

5 4に、ココナッツミルクを 入れて まぜます。

よういするざいりょう
（プリンカップ 3こ分）
- たまご（きみだけ）　　4こ分
- さとう（グラニューとう）　60g
- ココナッツパウダー　　20g
- ココナッツミルク　　　100ml

型にぬるためのざいりょう
- バター　　　　　　　　10g
- さとう（粉ざとう）　　大さじ1

24

🖌 やきます──

6 5を プリンカップに 入れて、テンパンに ならべます。
テンパンには おゆを 入れて、30分 むしやきにします。
たけぐしで まん中を さしてみて、
なにもついてこなければ やきあがりです。
オーブンから出して さまします。

7 プリンカップが 手で さわれるくらいに
さめたら、ひっくりかえして 出します。
冷蔵庫（れいぞうこ）で ひやして たべましょう。

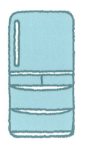

キンジンは ブラジルの
あま〜い デザート
ブラジルのイペーの
おはなが よくにあうわ

＊とてもあまい
　プリンなので、
　すっぱいフルーツや、
　ヨーグルトなどと
　いっしょに たべても
　おいしいですよ。

25

「むしあがるまでに、カラメルソースを作ろうね。」

　　にえたって　あわが　小さく　ブツブツ
　　そこで　よわ火に　きりかえる
　　なべごと　ゆすって　ブツコトブツコト
　　やがて　きれいな　コーヒーいろに
　　そこで　なべを　火からおろし
　　スプーン二はいの　水を　まぜる

わかったさんの
アイスクリーム

せんたくものをとどけにいった、わかったさんは、
「アイス市クリーム町3879にいます」という、はりがみを見つけた。
おいかけたさきで、サトウさんは、アイスクリームを作るというが…

「わあー、きれいな島！」
島いちめんが、いろいろな色に
かがやいているのです。
見たこともきいたこともない、
ふしぎな色でした。
それは、花の色なのでした。

「わかったさん、
目をあけてごらん。
ちっともこわくないのよ。」
おそるおそるあけてみると、
とてつもなく大きな、
ハチのすにかこまれていました。

とびらがあいて、
「サトウさん、
よくいらっしゃいました。」
女王(じょおう)バチが、すがたを
あらわしました。

ほんのり はちみつあじ
はちみつアイスの作り方

🌸 じゅんび

1 たまごは きみだけを ていねいに とりわけて、あとで ぎゅうにゅう500ccを くわえられるような大きさの ボウルに 入れておきます。

2 大きなボウルに こおりを 入れ、ひとまわり小さなボウルを おき、さらに その上に、こしき、ぬれぶきんの じゅんに かさねて おいておきます。

🌸 作ります

3 ボウルの中のたまごの きみを、あわだてきで なめらかになるまで ほぐします。

4 なべに ぎゅうにゅうと はちみつを 入れて、ゆげが 出るまで あたためて、はちみつを とかします。

よういするざいりょう
（やく900cc分）
- ぎゅうにゅう　500cc
- はちみつ　120g
- たまごのきみ　5こ分
- 生クリーム　100cc

5 3の ボウルに 4の ぎゅうにゅうを そそぎながら、あわだてきで まぜあわせます。ぎゅうにゅうのねつで たまごが かたまるので、そそぎっぱなしは ダメ！ よく まざったら なべに もどします。

6 中火に かけて、木しゃもじで かきまぜながら、とろりとするまで 火を とおします。ふわっと ゆげが 出て、木しゃもじが 少し おもくなってくると、木しゃもじについた クリームに ゆびで せんが かけるはず。いそいで 火を とめましょう。

＊火を とおしすぎて スクランブルエッグのように かたまってしまったら、しっぱい！！

7 すぐに、2で よういした ボウルに こしとって、できるだけはやく さまします。

8 かんぜんに さめたら バット（ステンレスが よい）に ながし、ラップを かけて、冷凍庫（れいとうこ）に 入れます。

9 はんぶんくらいかたまったら （1〜2時間後）、冷凍庫から とりだし、フォークで よく かきまぜて なめらかにします。

10 生クリームを どろりとした 7分だてに ホイップし、その中に 9を 少しずつ くわえて、あわだてきで まぜあわせ、もとのバットに 入れて、もういちど 冷凍庫へ。

11 このあと、1時間おきに かたまりかけたら フォークで まぜます。まぜる回数が おおいほど、中に 空気が 入って なめらかになります。4〜5時間で できあがり。

ケーキみたいな アイスクリーム
カッサータ の作り方

イタリアの、チーズや フルーツ、
ナッツの入った アイスクリームです。

よういするざいりょう
（24cmの パウンドケーキ型 1本分）

アイスクリームの ざいりょう
- たまご（しろみだけ）　　2こ分
- グラニューとう　　　　　20g
  （たまごにあわせる分）
- 生クリーム　　　　　　200ml
- グラニューとう　　　　　40g
  （生クリームにあわせる分）
- リコッタチーズ
  または クリームチーズ 200g

なかみの ざいりょう
（フルーツや ナッツなどを おこのみで）
- ミックスベリー（冷凍）　150g
- クランベリー　　　　　　30g
- くるみ　　　　　　　　　30g
- アーモンド　　　　　　　30g
- かぼちゃのたね　　　　　30g
- グラノーラ　　　　　　　60g
- あれば オレンジキュラソー 大さじ1

1 たまごのしろみと グラニューとうを あわせて よく あわだて、冷蔵庫で ひやしておきます。

2 生クリームにも グラニューとうを くわえて、しっかりと あわだてます。

3
大きめのボウルに チーズを 入れて、
1と 2を くわえて ぜんたいに
よく まぜあわせます。

4
3に フルーツや ナッツを 入れて
さらに よく まぜます。
さいごに、あれば
オレンジキュラソーを 入れて
さらに まぜます。

5
パウンド型に 入れて、ラップを かけて
冷凍庫で よく ひやします。

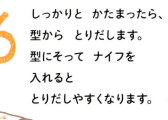

6
しっかりと かたまったら、
型から とりだします。
型にそって ナイフを
入れると
とりだしやすくなります。

すきな大きさに
切って、めしあがれ！

35

とけない アイスクリーム
フェイクアイスの作り方

フェイクは「にせもの」という いみです。

1 ロールケーキを ほぐします。

2 ボウルに クリームチーズを 入れて、あわだてきで やわらかくします。そこに、ほぐしたロールケーキを くわえて まぜあわせます。

よういするざいりょう (6こ分)

- ロールケーキ または スポンジ または カステラ　　300g
  (お店で買ったものでもOK)
- クリームチーズ　　100g
- ホワイトチョコレート　　100g
- いちごパウダー　　大さじ1
  (なくてもOK)
- グラノーラ または コーンフレーク　大さじ6
- アイスのコーン　　6こ
- おこのみの トッピング

3 6つに 分けて まるめ、冷蔵庫(れいぞうこ)で 30分ほど ひやします。

4 ホワイトチョコレートを とかし、あれば いちごパウダーを くわえて よく まぜあわせます。

5 アイスのコーンの 中に 大さじ1ずつ グラノーラを 入れます。

6 ひやした3に、とかしたチョコレートを からめて、アイスのコーンの上に おきます。

7 チョコレートや ナッツなど すきな かざりを のせて、冷蔵庫で ひやします。チョコレートが しっかり かたまったら、できあがりです！

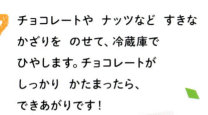

＊たおれやすいので、気をつけて！コップなどに 入れて 立てておくと ラクです。

37

よくまぜて　よくまぜてー
とろーり　なめらか
ノン　ノノノ　ネネネ
ねっとり　すべすべ
ノン　ノノノ　ヌヌヌ

「……できあがるまで、
たっぷり四時間かかるのよ。
まぜて、れいとうこ。
出して、まぜる。
まぜて、れいとうこ……。」

……お話のつづきは、
「わかったさんの おかしシリーズ」で。

寺村輝夫（てらむら てるお）

1928年、東京都生まれ。早稲田大学卒業。文京女子大学（現・文京学院大学）名誉教授。童話や絵本作品を数多く執筆し、毎日出版文化賞、国際アンデルセン国内賞、巌谷小波文芸賞、講談社出版文化賞絵本賞を受賞。こまったさんが活躍する「おはなしりょうりきょうしつ」のほか、「ぼくは王さまシリーズ」「寺村輝夫のとんち話むかし話」「たまごのほん」「くりのきえんのおともだち」『トイレにいっていいですか』『どうぶつえんができた』などを手がける。全集に「寺村輝夫全童話」（全9巻）がある。

永井郁子（ながい いくこ）

1955年、広島県三原市生まれ。多摩美術大学油画科卒業。寺村輝夫とコンビを組んだ作品は「かいぞくポケットシリーズ」など50冊をこえる。そのほかに「きせつのえほんシリーズ」『しろくろつけてよシマウマくん』、茶道の心得を紹介する『サミーとサルルのはじめてのおまっちゃ』「おしゃれさんの茶道はじめて物語シリーズ」などがある。

レシピ＊興膳陽子（P8、P16、P28）
　　　　さわのめぐみ（P10、P12、P22、P24、P34、P36）
ブックデザイン・タイトル＊下山ワタル
ブックデザイン＊小久保美由紀

わかったさんと　おかしをつくろう！②

わかったさんの　ひんやりスイーツ

2017年9月初版　2023年10月第8刷　　　　　　　　　　　　　　　　NDC596　40p　22cm

原　文＊寺村輝夫
企画・構成・絵＊永井郁子
発行者＊岡本光晴
発行所＊株式会社あかね書房
　　　　〒101-0065　東京都千代田区西神田3-2-1　　TEL 03-3263-0641（営業）　03-3263-0644（編集）
印刷所＊株式会社精興社
製本所＊株式会社難波製本

ⒸT.Teramura　I.Nagai 2017　　ISBN978-4-251-03792-3　　　　　　　　　　　　　　　https://www.akaneshobo.co.jp
落丁本・乱丁本はおとりかえいたします。　定価はカバーに表示してあります。

わかったさんの
おかしシリーズ
〈全10巻〉

寺村輝夫・作　永井郁子・絵

わかったさんといっしょに
おかし作りのレッスン！
ふしぎで楽しい、童話の世界へ